# PORTUGUÊS como LÍNGUA ESTRANGEIRA / PORTUGUÊS como SEGUNDA LÍNGUA

## Português do Brasil

Isabel Borges
Martina Tirone
Teresa Gôja

Ilustrações: Liliana Lourenço

# LIDEL

Lidel – Edições Técnicas, Lda.

# EDIÇÃO E DISTRIBUIÇÃO

Lidel — edições técnicas, lda.

## SEDE
Rua D. Estefânia, 183, r/c Dto. – 1049-057 Lisboa
Tel: +351 213 511 448 * Fax: +351 213 522 684
Revenda: revenda@lidel.pt
Exportação: depinternacional@lidel.pt
Venda online: livraria@lidel.pt
Marketing: marketing@lidel.pt
Projetos de Edição: edicoesple@lidel.pt

## LIVRARIA
Av. Praia da Vitória, 14 – 1000-247 Lisboa
livraria@lidel.pt

Copyright © julho 2015
Lidel – Edições Técnicas, Lda.
ISBN: 978-989-752-011-2

LIVRO
Conceção de layout e paginação: Elisabete Nunes
Impressão e acabamento: Cafilesa - Soluções Gráficas, Lda. - Venda do Pinheiro
Depósito legal n.º 394089/15

Capa: Elisabete Nunes
Ilustrações: Liliana Lourenço

CD
Autoria das músicas: Eurico Machado
Autoria das letras: Luciana Ribeiro
Autoria dos textos: Isabel Borges, Martina Tirone e Teresa Gôja
Vozes: Kal Robson, Biah Singer
Músicos: Eurico Machado e Gonçalo Dionísio
Execução Técnica: Eurico Machado
Duplicação: MPO (Portugal) Lda.

Todos os nossos livros passam por um rigoroso controlo de qualidade, no entanto aconselhamos a consulta periódica do nosso site (www.lidel.pt) para fazer o *download* de eventuais correções.

Os nomes comerciais referenciados neste livro têm patente registada.

## APRESENTAÇÃO

*TIMI 1* destina-se a crianças alfabetizadas que iniciam a aprendizagem do Português como língua estrangeira ou segunda.

Neste volume, em que é dado um papel de relevo à ilustração, é proposta uma variedade de atividades baseadas no dia a dia da criança, estimulando a comunicação.

As autoras

## PREFÁCIO

A Lidel coloca agora no mercado mais um material para o ensino da língua portuguesa.

Mas, desta vez, as crianças foram privilegiadas!!

Esta é uma iniciativa que, com o trabalho interativo do professor, vai ajudar a turma pequena a se abrir para as diversidades dos mundos que falam a língua portuguesa.

A Timi, uma targaruga verdinha, verdinha, leva as crianças a passear por palavras, sons e frases em português brasileiro.

Nesses tempos em que as nossas línguas portuguesas vão ganhando sotaques cada vez mais ricos em contextos cada vez mais múltiplos, este manual colabora para constituir novos sujeitos que podem construir uma rede transnacional de interação em português.

A partir do mundo das palavras e frases, que se abra espaço para um mergulho no universo das relações humanas.

A *Timi* traz os passos iniciais para isso e aponta para uma aventura linguística e cultural que as crianças todas têm o direito de viver.

Roberval Teixeira e Silva
Professor de Linguística Aplicada do Departamento de Português
da Universidade de Macau

# Símbolos da Timi

ler

pintar

escrever

ouvir CD

falar

unir

contar

jogar o dado

anotar

cantar

memorizar

ligar

jogar

assinalar

descobrir

ordenar

colar

recortar

# Índice

1
a escola
a janela
o Ben
a Li
o Nélio
a Nana
a Timi
a máquina fotográfica
o professor

ESCOLA

a árvore

o Igor

a porta

o Pedro

a Carmen

o balanço

o escorregador

a Teresa

a turma

nove 9

10 dez

oito 8

seis 6

sete 7

cinco 5

três 3

quatro 4

dois 2

um 1

zero 0

Olá! Eu sou a Timi!

②

Eu me chamo

_____

e tenho _____

anos.

A minha
turma.

 ③

Eu sou o Pedro.

Eu sou a Nana.

Eu me chamo Igor.

Eu sou o Nélio.

Eu me chamo Teresa.

 ④

zero   um   dois   três   quatro

cinco   seis   sete   oito   nove   dez

5

3

Eu tenho _____ anos.

E você?

Eu tenho _____ anos.

E você? Quantos anos tem?

Eu tenho _____ anos.

Bom dia!

Boa tarde!

Boa noite!

**6**

  = dois

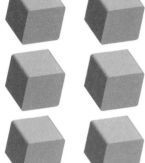  = _____

= _____

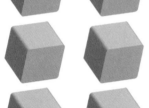 = _____

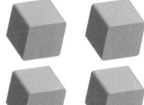 = _____

 = _____

  = _____

 = _____

= _____

 = _____

= _____

Total = ⬭

⑦

Quem é?

Quem é?
É a _____ .

Quem é?
É a _____ .

Quem é?
É o _____ .

Quem é?
É o _____ .

Quem é?
É a _____ .

Quem é?
É o _____ .

Quem é?
É o _____ .

Quem é?
É a _____ .

Quem é?
É a _____ .

Bom dia!
Tudo bem?

Olá, como se chama?

Eu me chamo Nélio.
E você?

Eu sou a Teresa.
Quantos anos você tem?

Eu tenho 7 anos.
E você?

Eu também.

**(10)**

Não, não sou.
Eu sou a Rita.
E você, é o Paulo?

Não, não sou.
Eu sou o Luís.
E você, é a Luísa?

Eu sou a Ana.
Você é a Luísa?

Sim, eu sou a Luísa.
E você, é o Paulo?

Sim, eu sou o Paulo.

2x1=2
2x1=2
2x1=2

**(11)**
4

1, 2, 3, 4, um buraco no sapato,

5, 6, 7, e depois já não repete,

 8, 9 e 10 vou lavar os pés.

5

### TIMI

– Olá! Tudo bem?

– Bom dia! Como se chama?

– Eu me chamo Timi. E você?

– Eu sou o Nélio.

Um, dois, três, quatro,
Um buraco no sapato.
Cinco, seis e sete,
E depois já não repete.
Oito, nove e dez,
Vou lavar os pés.

$2x1=2$
$2x1=2$
$2x1=2$

## VAMOS RECORDAR

Olá!

Tudo bem?

Bom dia!

Boa tarde!

Boa noite!

Como se chama?

Eu me chamo Timi.

A minha turma.

Quantos anos tem?

Eu tenho 7 anos. E você?

Eu também.

Quem é?

É a Timi.

Você é o Ben?

Sim, sou.

Não, não sou.

agora

o buraco

o sapato

os pés

lavar

_____

_____

_____

_____

_____

6

o Sol

o avô

o irmão

o pai

a mãe

a irmã

o jardim

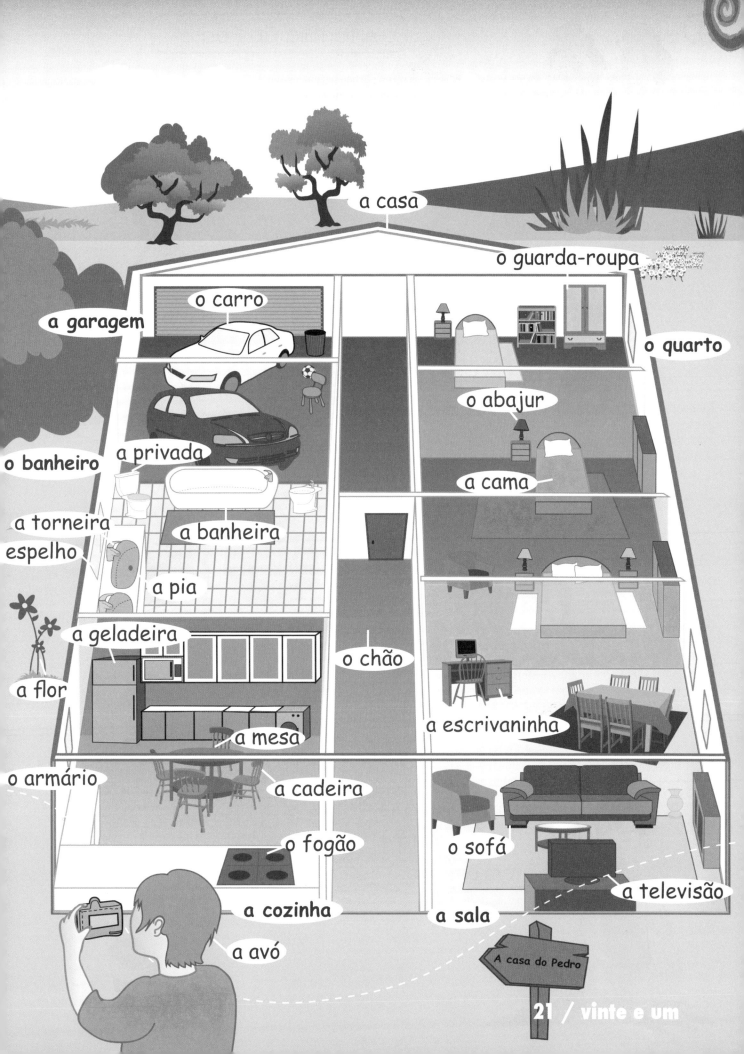

A **Ana** é a *mãe* do Pedro.

É o _____ do Pedro.
Se chama _____ e tem _____ anos.

O _____ é o _____ do Pedro.

É o _____ do Pedro e se chama _____.

É a _____ do Pedro e se chama _____.

A _____ é a _____ do Pedro e tem _____ ano.

# A minha família

④

2x1=2
2x1=2
2x1=2

Quem está em casa?

8

O avô está em casa...
Toc, toc, toc!
– Quem é?
– Sou eu, o Pedro, a minha irmã e o meu pai Zé.

Quem é?

Toc toc toc...

Sou eu, o Pedro.

Toc, toc, toc,
– Quem é?
– A minha avó, a minha mãe e o meu irmão Pelé.

**5**

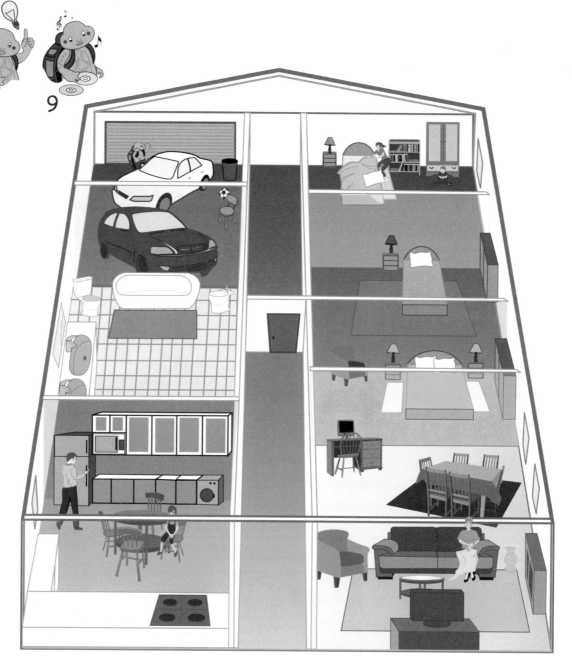

**6**

| | |
|---|---|
| Onde o Pedro está? | Ele está na _____. |
| Onde a mãe está? | Ela está no _____. |
| Onde a Timi está? | Ela está na _____. |
| Onde o pai está? | Ele está na _____. |
| Onde a avó está? | Ela está na _____. |
| Onde a Carlota está? | Ela está no _____. |

**7**

| o fogão | a televisão | a cama |
|---------|-------------|--------|
| a cadeira | o sofá | a geladeira |

 _____

 _____

 _____

 _____

 _____

 _____

**8**

Onde mora o caracol,

Com chuva ou com Sol?

Mora no meu jardim,

Mesmo perto de mim!

**9**

E você, onde mora?

na cidade    na vila    na praia    no campo

Eu moro _____.

**(10)** Onde está?

 a cama

 a televisão

 a geladeira

 o sofá

 a cadeira

 o guarda-roupa

 o fogão

 a mesa

 a escrivaninha

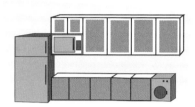

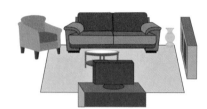

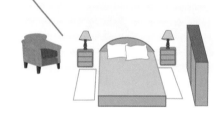

**(11)**

*três* televisões

 _____ abajur

 _____ cadeiras

 _____ janelas

 _____ camas

 _____ fogões

⑫

11

o quarto
a cozinha
a garagem
a sala
o banheiro

⑬

| B | X | C | A | D | E | I | R | A | C | L | Ç | C |
|---|---|---|---|---|---|---|---|---|---|---|---|---|
| E | S | C | R | I | V | A | N | I | N | H | A | A |
| C | F | Q | M | A | A | R | E | X | D | Z | V | M |
| S | O | F | Á | V | B | M | T | I | E | N | V | A |
| O | R | T | R | R | C | Á | X | B | I | Q | A | E |
| L | M | L | V | Ç | Ç | R | U | I | R | P | F | C |
| E | Z | V | O | B | M | I | N | J | A | I | O | L |
| Ç | P | U | R | R | E | O | B | M | U | L | G | Ç |
| P | Ç | I | E | T | E | L | E | V | I | S | Ã | O |
| Q | D | F | H | E | J | O | L | O | R | G | O | B |

televisão ⬭   árvore ⬭   sofá ⬭

escrivaninha ⬭   armário ⬭   Sol ⬭

cadeira ⬭   fogão ⬭   cama ⬭

⑭

1) O 🛋 está no [imagem] .

_____ .

2) O [sofá] está na [imagem] .

_____ .

3) A [imagem] está no [imagem] .

_____ .

4) A [imagem] está na [imagem] .

_____ .

(15)

Onde está?

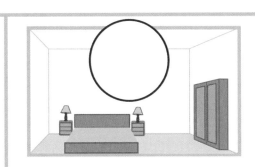 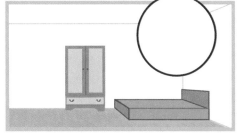

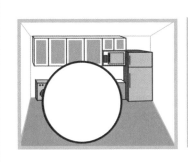   

Onde o Ben está?
O Ben está no quarto?

**Não, não está.**
**Sim, está.**

Não, não está.

## A FAMÍLIA DO PEDRO

12

Na minha casa mora a minha família.
A minha mãe se chama Ana,
O meu pai se chama Zé,
A minha irmã é a Carlota
E o meu irmão, o Pelé.

Na garagem mora a Timi,
No jardim o caracol.
Eles brincam perto da árvore,
Faça chuva ou faça Sol.

Na sua casa mora a sua família.
A sua mãe se chama Ana,
O seu pai se chama Zé,
A sua irmã é a Carlota
E o seu irmão, o Pelé.

– Onde o seu irmão está?
– Está no quarto brincando.

– Onde a sua irmã está?
– Está na sala assistindo televisão.

– Onde os seus avós estão?
– Estão sentados no sofá.

– Onde o seu pai está?
– Na cozinha fazendo o jantar.

2x1=2
2x1=2
2x1=2

## VAMOS RECORDAR

a minha família
o meu / a minha
Quem está em casa?
O avô está em casa.
Onde o Pedro está?
Ele está no quarto.
Onde a mãe do Pedro está?
Ela está na sala.
O Pedro está no quarto?
Sim, está.
Não, não está.
E você, onde mora?
Na cidade.
Na praia.
Na vila.
No campo.
o caracol
a chuva
mora
perto de mim

_____
_____
_____
_____
_____

13

o suco de laranja

a sopa

a carne

a fruta

as uvas

a laranja

a banana

o lanche

a maçã

o arroz

a salada

o leite

Leite

a alface

os biscoitos

o queijo

os ovos

o tomate

as salsichas

os cereais

a manteiga

o frango

a água

as batatas fritas

o pudim

a pizza

a massa

as cenouras

os legumes

o bolo

o pão

o peixe

o prato

o copo

a colher

a faca

o sorvete

o garfo

o açúcar

os iogurtes

o chá

o sal

a toalha

**2**

Quem está com o bolo do Ben?

◯ A Teresa.

◯ A Timi.

◯ A mãe do Ben.

Quantos anos o Ben faz?

◯ Sete anos.

◯ Oito anos.

◯ Nove anos.

O que tem na mesa?

◯ Pudim.

◯ Salada.

◯ Biscoitos.

**3**

Em cima da mesa da cozinha tem:

_____     _____     _____

_____     _____     _____

(4)

> massa, peixe, salsicha, arroz, iogurte, cenoura

| X | F | M | A | S | S | A | S | T | N |
|---|---|---|---|---|---|---|---|---|---|
| E | Q | C | B | E | A | A | I | L | I |
| R | P | H | G | I | A | E | C | S | O |
| C | E | N | O | U | R | A | Q | C | G |
| T | I | U | T | P | R | M | E | S | U |
| E | X | V | N | N | O | Z | A | E | R |
| V | E | B | E | N | Z | Ç | J | E | T |
| E | X | V | N | N | Z | Ç | J | E | E |
| X | S | A | E | E | I | M | P | Ç | E |
| S | A | L | S | I | C | H | A | V | C |

(5)

(6)

Eu gosto de...

Eu não gosto de...

_____     _____

_____     _____

_____     _____

_____     _____

**7**

15

gosta de / não gosta de

Tiago

Carolina

Joana

**8**

gosta de / não gosta de

O Tiago _____,

mas _____.

A Carolina _____,

mas _____.

A Joana _____,

mas _____.

⑨

eu como
tu comes / você come
ele come / ela come

Eu _____ a banana.

Ele _____ a laranja.

Você _____ as uvas.

Eu _____ salada.

Você _____ sopa.

Ele _____ salsichas.

Ela _____ pão.

⑩

o café da manhã

o almoço

o lanche

o jantar

**11**

O Ben come _____.

A Teresa come _____. 

O Pedro bebe _____.

O Igor bebe _____.

A Carmen come _____  e

_____.

**12**

A Li **bebe** leite.

| come |
| bebe |

A Teresa _____ pudim.

O Pedro _____ chá.

A Carmen _____ suco.

O Ben _____ massa.

O Igor _____ sorvete.

A Nana _____ iogurte.

O Nélio _____ água.

A Timi _____ grama e _____ água.

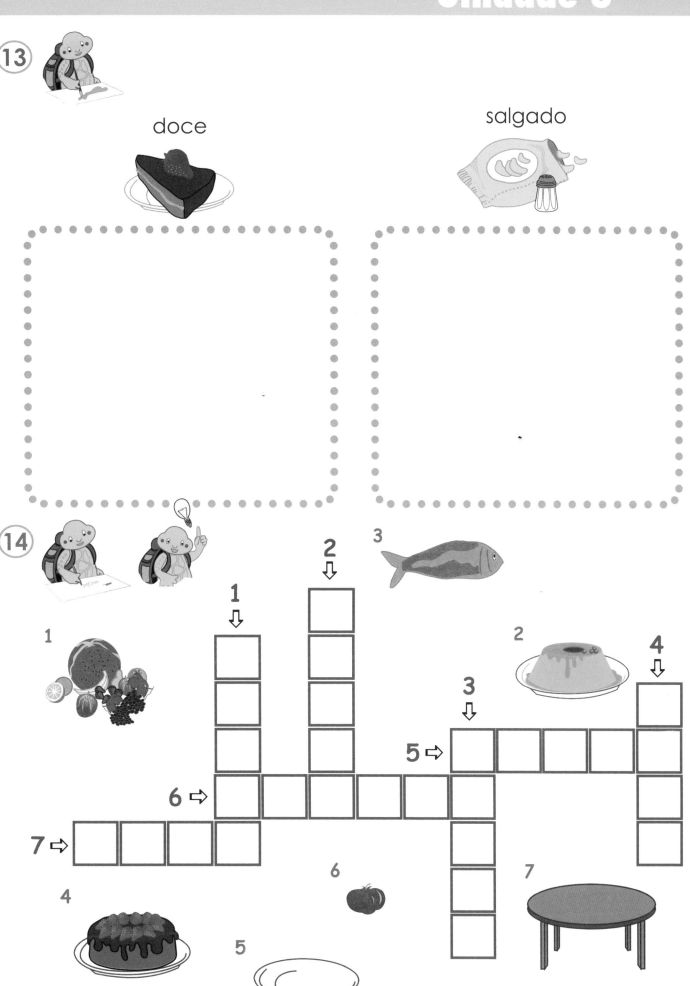

13

doce

salgado

14

# A nossa salada de fruta

Para preparar a salada de fruta

vamos **descascar**, vamos **cortar** e vamos **misturar**.

(16)

Agora, a nossa salada de fruta.

_____ _____

_____ _____

_____

(17)

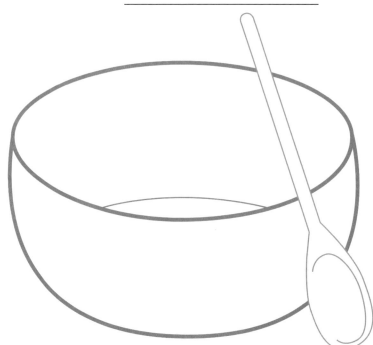

**18**

Quantos anos o Ben faz?

| Onde |
| Quantos |
| Quem |
| Como |

_____ bebe suco?

_____ o sorvete está?

_____ se chama o seu professor?

_____ é o amigo do Ben?

_____ a Timi está?

_____ bolos a Timi come?

**19**

A Carmen come carne.

| O / A | → | Teresa / Pedro / Ben / Carmen / Timi | → | come / bebe | → | água. / bolo. / sorvete. / suco. / carne. |

_____.

_____.

_____.

_____.

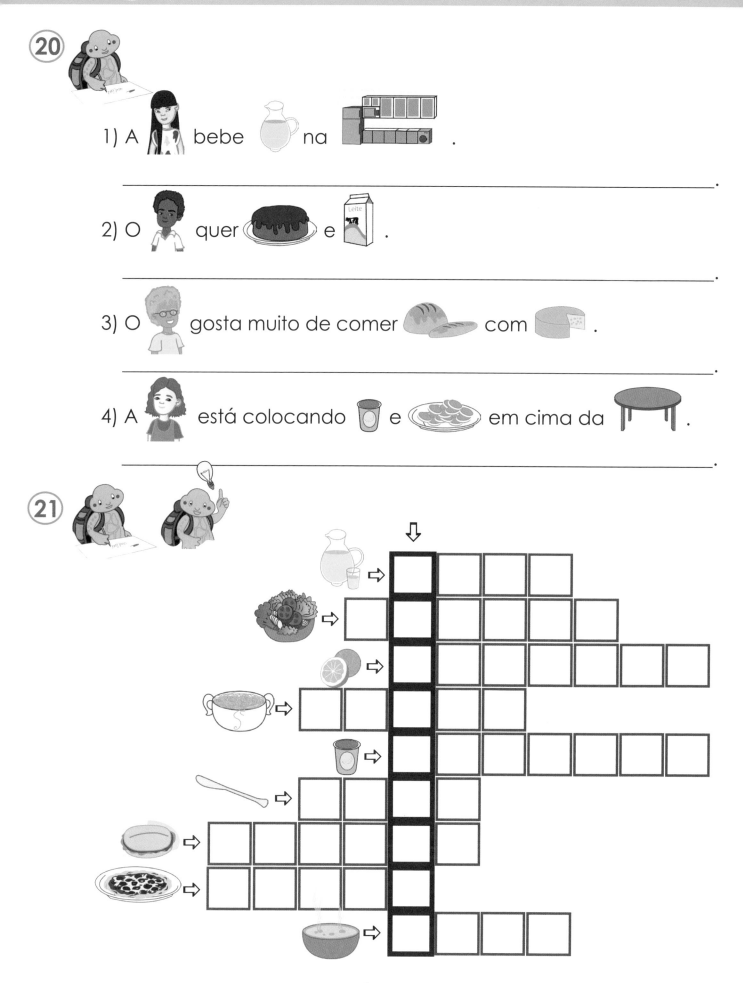

**20**

1) A ⬤ bebe ⬤ na ⬤ .

_____.

2) O ⬤ quer ⬤ e ⬤ .

_____.

3) O ⬤ gosta muito de comer ⬤ com ⬤ .

_____.

4) A ⬤ está colocando ⬤ e ⬤ em cima da ⬤ .

_____.

**21**

## Jogo das palavras

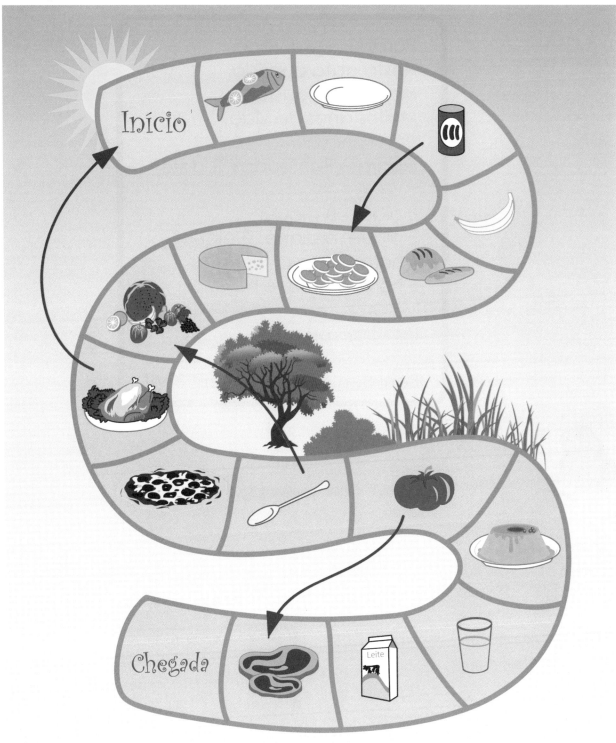

Início

Chegada

Leite

_____  _____  _____

_____  _____  _____

_____  _____  _____

16

PARABÉNS AO BEN

Parabéns pra você,
Nesta data querida,
Muitas felicidades,
Muitos anos de vida.

E para o Ben nada? Tudo!!!

É pique, é pique.
É pique, é pique, é pique!
É hora, é hora.
É hora, é hora, é hora!

Rá - tim - bum!!!

Ben! Ben! Ben! Ben! Ben! Ben!

2x1=2
2x1=2
2x1=2

O que tem na mesa?
Tem pão.
Quem quer beber suco?
Eu bebo.
Quem quer comer bolo?
Eu quero.
Eu como.
Eu gosto muito de sorvete.
Eu não gosto de pudim.
Quem está com o bolo?
Quantos anos faz?
Em cima da mesa da cozinha.
eu como / tu comes / você come / ele
come / ela come
eu bebo / tu bebes / você bebe / ele bebe
/ ela bebe
o café da manhã
o almoço
o lanche
o jantar
doce / salgado
a nossa salada de fruta
descascar
cortar
misturar

_____

_____

_____

_____

_____

(2)

A Timi tem:

◯ uma mochila amarela.

◯ uma tesoura amarela.

◯ uma caneta azul.

A Timi não tem no estojo:

◯ uma caneta.

◯ um lápis.

◯ uma tesoura.

Quem está pintando a mesa?

◯ A Teresa.

◯ O Pedro

◯ A Timi.

(3)

O que tem no seu estojo?

[    ]
um caderno

[    ]
uma borracha

[    ]
uma janela

[    ]
lápis de cor

[    ]
um lápis

[    ]
um mapa

[    ]
uma tesoura

[    ]
uma régua

[    ]
giz

[    ]
um apontador

**4**

| | | | |
|---|---|---|---|
| a lousa | o apontador | a régua | a tesoura |
| a janela | a borracha | o livro | o estojo |

 _____

 _____

 _____

 _____

 _____

 _____

_____

_____

**5**

A caneta é **sua**?
Sim, é **minha**.

> **meu / minha**
>
> **seu / sua**

A mochila é _____?

Não, não é minha.

O livro é seu?

Sim, é _____.

A borracha é _____?

Não, não é _____.

A tesoura é _____?

Sim, é _____.

O estojo é _____?

Não, não é _____.

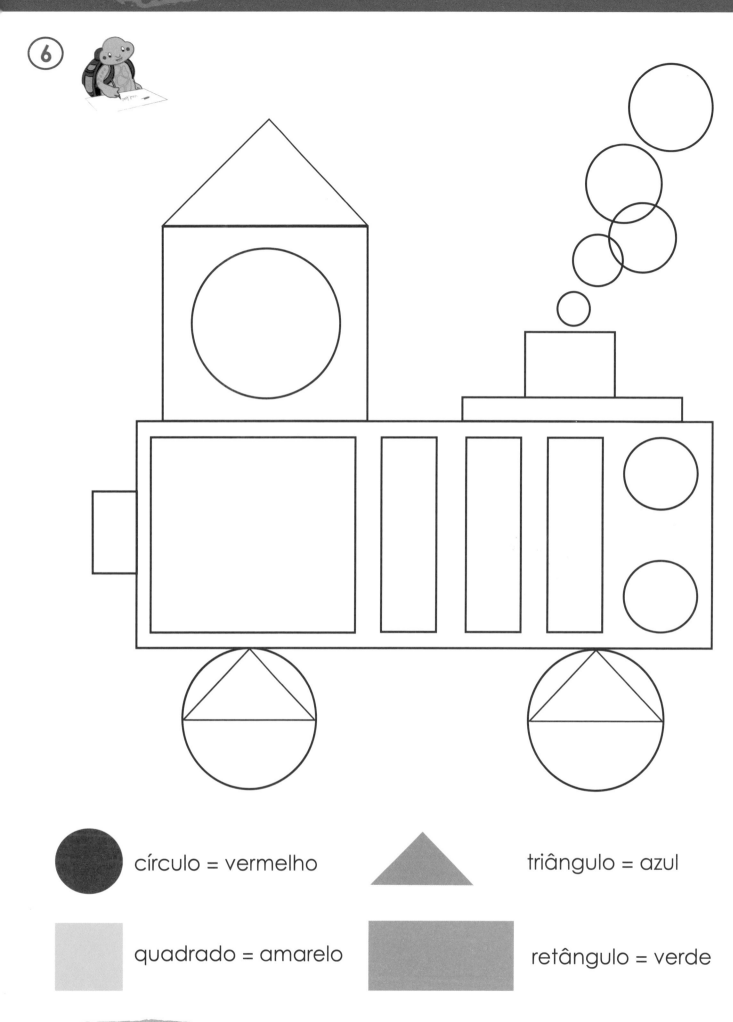

círculo = vermelho

triângulo = azul

quadrado = amarelo

retângulo = verde

⑦

O Pedro tem um apontador azul.

A Teresa tem uma caneta vermelha.

A Nana tem uma régua azul e verde.

O Nélio tem uma borracha amarela.

⑧

Você *pinta* uma banana.

**eu pinto**

**tu pintas / você pinta**

**ele pinta / ela pinta**

Eu _____ uma flor.

Ela _____ um carro.

Você _____ uma mochila.

Ele _____ uma árvore.

**9**

> a cadeira
> **as cadeiras**

| o | os |
|---|----|
| a | as |

a lousa _____

a mochila _____

a régua _____

o estojo _____

o quadrado _____

a caneta _____

a borracha _____

**10**

> Quant**as** borrachas
> estão na mesa?
> **Duas.**

| quantos |
|---------|
| quantas |

| um | uma |
|----|-----|
| dois | duas |

Quant___ lápis estão no estojo?  _____

Quant___ círculos estão na lousa?   _____

Quant___ canetas estão no estojo?   _____

Quant___ réguas estão no chão?   _____

Quant___ livros estão na estante? 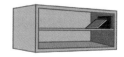 _____

(11)

O que a Timi está fazendo?

A Timi está escrevendo.

_____

_____

_____

_____

_____

_____

_____

_____

_____

_____

_____

_____

_____

_____

_____

_____

_____

_____

⑫

4 ⇨ (crossword)

5 ⇨ (crossword)

6 ⇨ (crossword)

7 ⇨ (crossword)

8 ⇨ (crossword)

2 ⇩   1 ⇩   3 ⇩

⑬

Eu *tenho* um lápis verde.

**eu tenho**
**tu tens / você tem**
**ele tem / ela tem**

Eu _____ uma caneta azul.

Você _____ um caderno vermelho.

Ele _____ uma mochila verde.

Ela _____ uma tesoura amarela.

⑭

A minha escola

A minha sala tem:

⑮

Este é o meu amigo.            Ele se chama _____.

Esta é a minha amiga.          Ela se chama _____.

Este é o meu professor.        Ele se chama _____.
Esta é a minha professora.     Ela se chama _____.

**16** Quem come a 🍌 _____?

É a menina que se chama Joana.

Ela tem um irmão

Que gosta muito de 🍞 _____.

E o avô no 🛋️ _____

Gosta de beber chá.

A Timi, lá no jardim

Sonha com um belo 🍮 _____.

**17**

△ a    △ t    ▢ i    ○ m    ○ n

▢ e    ○ s    △ á    ▢ c    △ d

○ o    ▯ r    ▯ p    ▢ l

△  △▯○▯  ▢○△△  ▢○▯△  △○△○  ▯△▯▢▢

___ _____    _____    _____    _____

⑱

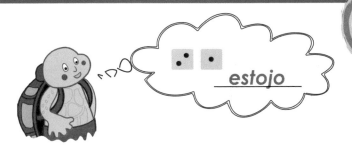

_estojo_

2

3

4

5

6

7

8

9

10

_____

_____

_____

_____

_____

_____

_____

_____

_____

## VAMOS CANTAR

### A MOCHILA AMARELA

– Tenho uma mochila amarela.
– Timi, o que você tem na mochila?
– Tenho um caderno e tenho um estojo.
E também os meus lápis de cor para pintar.

Vou pintar um retângulo de azul
E fazer um triângulo vermelho.
Na minha escola estou aprendendo
A contar, a pintar e a escrever.

O que tem na mochila?

Um caderno.

Uma borracha.

A Timi tem uma mochila amarela.

A Timi não tem uma régua.

A caneta é sua?

Sim, é minha.

Não, não é minha.

meu / minha / seu / sua

o círculo / o triângulo / o quadrado / o retângulo

vermelho / azul / amarelo / verde

eu pinto / tu pintas / você pinta / ele pinta / ela pinta

o / a / os / as

um / uma / dois / duas

eu tenho / tu tens / você tem / ele tem / ela tem

Quantos livros estão na estante?

Quantas canetas estão no estojo?

Duas canetas.

O que a Timi está fazendo?

Está pintando.

Este é o meu amigo.

Esta é a minha escola.

ele se chama / ela se chama

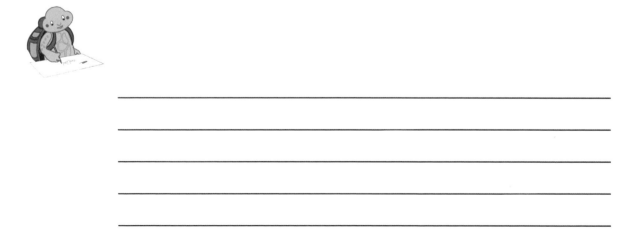

_____

_____

_____

_____

_____

## 21

# Um passeio pelo rio

**2**

Onde os meninos e o professor estão?

◯ No rio.

◯ No parque.

◯ No lago.

Quem gosta de jogar bola?

◯ A Teresa.

◯ O Igor.

◯ A Nana.

Quando é que o professor vai com os meninos ao rio?

◯ Na terça-feira.

◯ Na quarta-feira.

◯ Na sexta-feira.

A Timi quer brincar de esconde-esconde?

◯ Sim.

◯ Não.

**3**

A Teresa gosta muito de correr.

**4**

A minha semana

Agora Eu!

### Segunda-feira

### Terça-feira

### Quarta-feira

### Quinta-feira

### Sexta-feira

### Sábado

### Domingo

**5**

o piano

a bateria

o violão

o tambor

o violino

_____

_____

_____

_____

_____

**6**

 Eu gosto de *brincar*.

O que gosta de fazer com os seus amigos...

... na escola? Eu gosto de _____.

... no jardim? Eu gosto de _____.

... na rua? Eu gosto de _____.

... em casa? Eu gosto de _____.

... no parque? Eu gosto de _____.

... na praia? Eu gosto de _____.

dançar

cantar

brincar

nadar

pular

ler

jogar

correr

**7**

jardim
praia
tambor
esconde
domingo
futebol
sábado
corda

| E | S | C | O | N | D | E | D | A | S |
| E | S | C | O | N | D | E | R | U | Á |
| J | A | R | D | I | M | T | S | S | B |
| T | B | D | Z | A | A | V | F | C | A |
| P | R | A | I | A | Ç | N | U | O | D |
| L | Ç | Z | Q | V | I | O | T | R | O |
| T | A | M | B | O | R | Ç | E | D | T |
| Q | R | C | V | B | I | P | B | A | R |
| F | D | O | M | I | N | G | O | Q | C |
| V | M | N | H | J | I | O | L | G | H |

**8**

Eu *vou* ao lago.

> **Eu vou**
> **Tu vais / Você vai**
> **Ele vai / Ela vai**

Ela _____ à cidade.

Você _____ à cozinha.

Ele _____ à montanha.

Eu _____ ao banheiro.

Você _____ ao parque.

**9**

O Igor gosta de tocar piano.

_____

_____

_____

_____

_____

_____

⑩

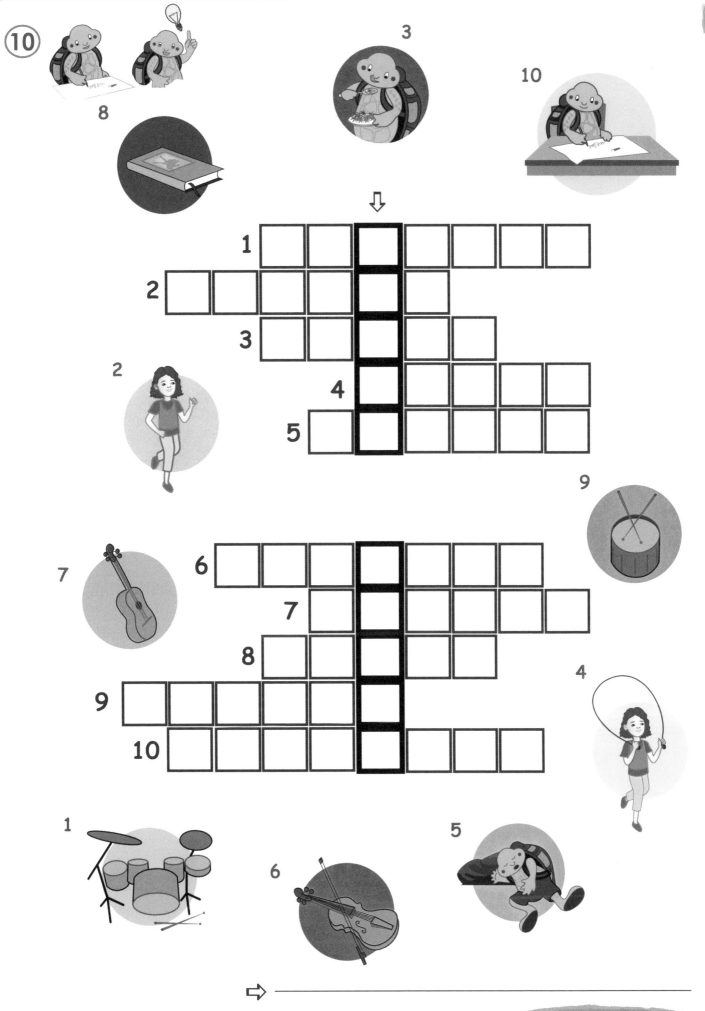

**11** O que a Timi está fazendo?

A Timi está _____.

A Timi está _____.

A Timi está _____.

**12**

A Xana está tocando violão.

O Igor está jogando bola.

A Teresa está pulando corda.

O Ben está nadando no rio.

**13**

E você? O que está fazendo?

O que está fazendo, Nélio?

Eu estou _____.

Eu estou _____.

Eu _____.

O que está fazendo, Carmen?

Eu estou _____.

Eu estou _____.

Eu _____.

O que está fazendo, Li?

Eu estou _____.

Eu estou _____.

Eu _____.

**(14)**

## A semana da Nana

segunda-feira
*amigos*

quarta-feira
*irmão*

quinta-feira
*piano*

sábado
*praia*

domingo
*jardim*

Na **segunda-feira**
a Nana
**brinca de
esconde-esconde**
com os amigos.

**(15)**

Na _____ a Nana

_____ com o irmão.

Na _____ a Nana

_____ com o professor.

No _____ a Nana

_____ na praia.

No _____ a Nana

_____ no jardim.

**16**

1.ª   4.ª   2.ª   4.ª   2.ª

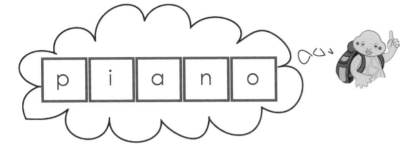

p  i  a  n  o

1.ª   3.ª   3.ª   2.ª

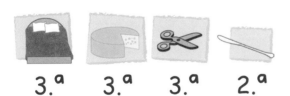

3.ª   3.ª   3.ª   2.ª

1.ª   2.ª   3.ª   3.ª   1.ª

**17**

 VAMOS CANTAR

## EU GOSTO TANTO!

22

– Eu gosto tanto de correr e de brincar!
Vamos pular corda, dançar e cantar!

– Já eu prefiro tocar meu violão
Ou tambor ou violino!

– Eu gosto tanto de correr e de brincar!
Vamos subir nas árvores, dançar, nadar!

– Já eu prefiro jogar bola
Ou brincar de esconde-esconde!

– Eu gosto tanto de correr e de brincar!

2x1=2
2x1=2
2x1=2

## VAMOS RECORDAR

Hoje é sexta-feira.

Quem quer jogar bola?

Eu quero. / Eu não.

Gosto tanto de pular!

Adoro subir nas árvores.

Eu prefiro pular corda.

Onde estão os meninos?

No rio.

a minha semana

eu vou / tu vais / você vai / ele vai / ela vai

Eu vou ao parque.

Você vai à montanha.

O que está fazendo?

Eu estou jogando.

Quando é que o professor vai ao rio?

Na sexta-feira.

_____

_____

_____

_____

_____

23

a calça

o vestido

a saia

o casaco

em cima de

o boné

as luvas

sujo / limpo

o cachecol

o gorro

ao lado de

o maiô

a camiseta

dentro de

as botas

amarelo
azul
marrom/ castanho
roxo
cinza
vermelho
verde
laranja
cor-de-rosa
preto
branco

as meias

feio / bonito

a blusa

os shorts

o chapéu

em baixo de

as sandálias

o biquíni

os sapatos

os tênis

velho / novo

/ oitenta e três

O armário mágico

Os meninos brincam no sótão da Li.

Um armário com roupa velha!

Esta saia cor-de-rosa é muito bonita!

E este casaco? Está muito sujo!

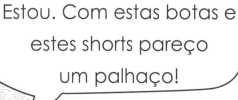

Está calçando as botas cinza, Carmen?

Estou. Com estas botas e estes shorts pareço um palhaço!

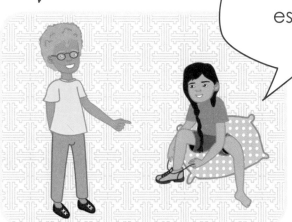

Eu vou vestir a blusa verde que está dentro do armário.

Eu gosto mais do gorro laranja.

Eu estou brincando com um boné e um cachecol!

Timi, o que está fazendo em cima do armário?

**2** Assinale verdadeiro $\boxed{V}$ ou falso $\boxed{F}$:

O armário tem roupa velha.

O casaco não está sujo.

A Li gosta mais do gorro azul.

A Timi tem um cachecol e um boné.

Onde a Timi está?

Em baixo do armário.

Em cima do armário.

Dentro do armário.

**3** Onde os meninos brincam?

Os meninos _____.

**4**

A Li tem uma blusa verde, uns shorts marrons e umas botas pretas.

# Unidade 6

 (5)

## BINGO

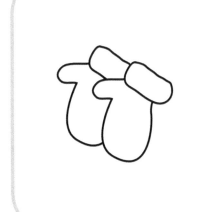  

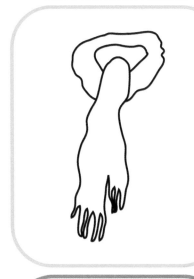  

**6**

A Li tem uma _____ vermelha.

O Ben tem uma _____ azul.

O Nélio tem um _____ cinza.

**7**

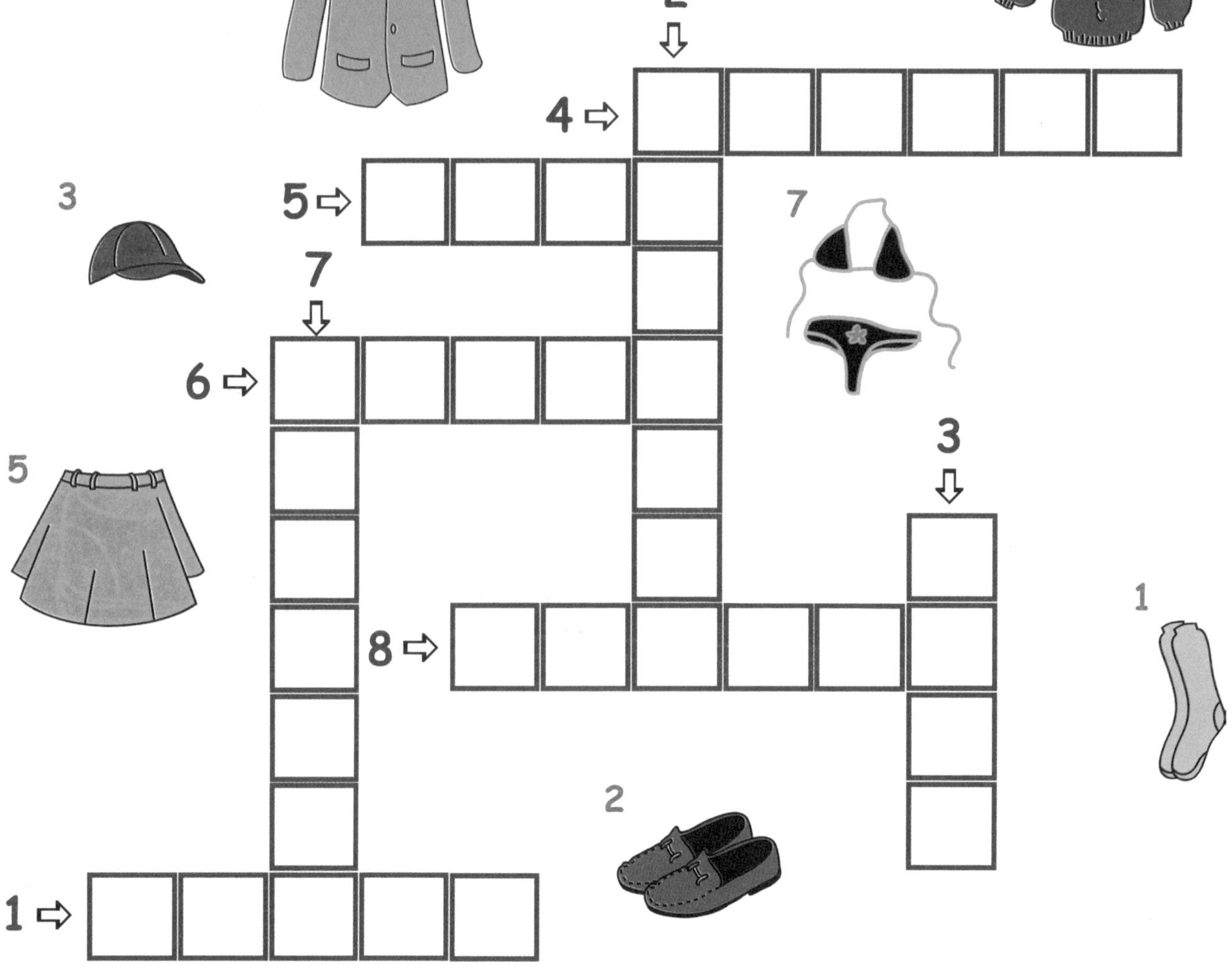

8

4

6

2 ⇩

4 ⇨

3

5 ⇨

7

7 ⇩

6 ⇨

3 ⇩

5

8 ⇨

1

2

1 ⇨

**8**

O que vou vestir amanhã

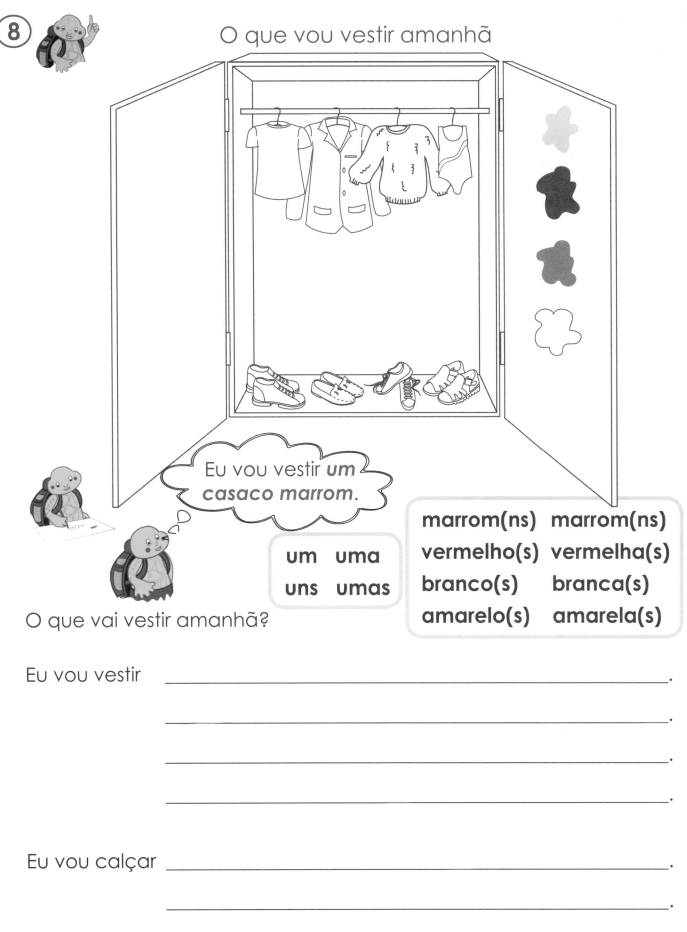

Eu vou vestir **um casaco marrom**.

| um | uma |
|----|-----|
| uns | umas |

| marrom(ns) | marrom(ns) |
|------------|------------|
| vermelho(s) | vermelha(s) |
| branco(s) | branca(s) |
| amarelo(s) | amarela(s) |

O que vai vestir amanhã?

Eu vou vestir _____.

_____.

_____.

_____.

Eu vou calçar _____.

_____.

_____.

_____.

**9**

Onde a Timi está?

em baixo de   ao lado de
em cima de   dentro de

A Timi está _____   _____

_____ .   _____ .

_____   _____

_____ .   _____ .

**10**

25

– Visto uma saia da minha mãe.

Ai, fico tão bem!

– Calço umas botas do meu avô.

Que lindo que eu estou!

– Visto uma blusa amarela.

– Que menina tão bela!

(11)

A minha roupa

Agora Eu!

Eu gosto de vestir _____

_____.

No verão

No inverno

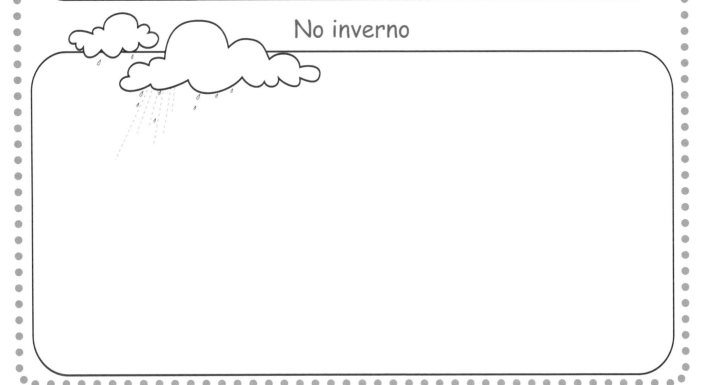

# Onde está? Onde estão?

⑬ Quem sou eu?

Visto **uma camiseta branca, um vestido cor-de-rosa e calço sapato verde.**

É o número **cinco**.

Visto _____ É o número
_____. _____.

Visto _____ É o número
_____. _____.

Visto _____ É o número
_____. _____.

Visto _____ É o número
_____. _____.

Visto _____ É o número
_____. _____.

**14**

A 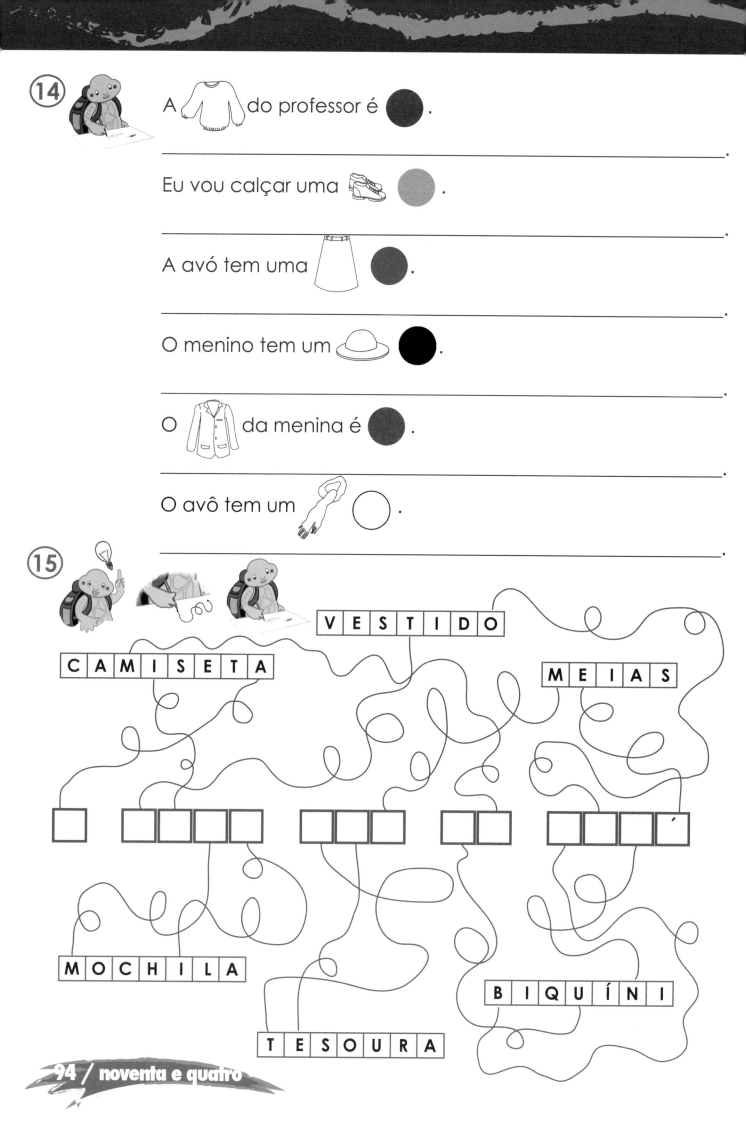 do professor é ⬤ .

_____ .

Eu vou calçar uma 👟 ⬤ .

_____ .

A avó tem uma 👗 ⬤ .

_____ .

O menino tem um 👒 ⬤ .

_____ .

O 🧥 da menina é ⬤ .

_____ .

O avô tem um 🧤 ◯ .

_____ .

**15**

| V | E | S | T | I | D | O |

| C | A | M | I | S | E | T | A |

| M | E | I | A | S |

☐  ☐☐☐☐  ☐☐☐  ☐☐  ☐☐☐☐

| M | O | C | H | I | L | A |

| B | I | Q | U | Í | N | I |

| T | E | S | O | U | R | A |

**16**

Jogue com um amigo

A minha imagem

A imagem do meu amigo

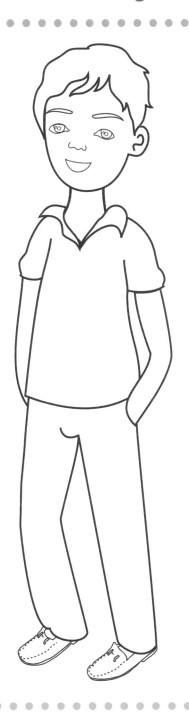

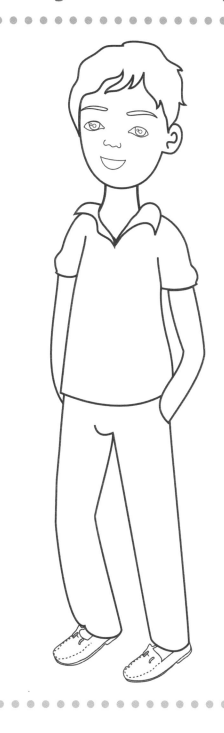

O seu sapato é marrom?

Não, não é.
Agora é a minha vez.

## O ARMÁRIO MÁGICO DA LI

26

– Vamos brincar no sótão da Li. Lá tem um
  armário mágico!
– Vamos!

– Visto uma saia da minha mãe.
– Calço as botas do seu avô.
– Fico tão bem!
– Que lindo estou com roupa velha!
– Quem comprou?

Está no armário mágico da Li.
Os pais e os avós guardaram ali.

– Veja o chapéu que eu encontrei!
– Olhe esta capa que eu descobri!
– Estou mascarada!
– Pareço um rei!
– É bom brincar no sótão da Li.

Está no armário mágico da Li.
Os pais e os avós guardaram ali.

2x1=2
2x1=2
2x1=2

## VAMOS RECORDAR

mágico
sótão
Está calçando as botas?
Estou.
Pareço um palhaço.
O que vai vestir amanhã?
Eu vou vestir uma blusa.
Eu vou calçar um sapato.
Eu visto.
Eu calço.
Os meninos brincam.
Está muito sujo.
o verão
o inverno
Fico tão bem!
Que lindo que eu estou!
Que menina tão bela!
Agora é a minha vez.

_____

_____

_____

_____

_____

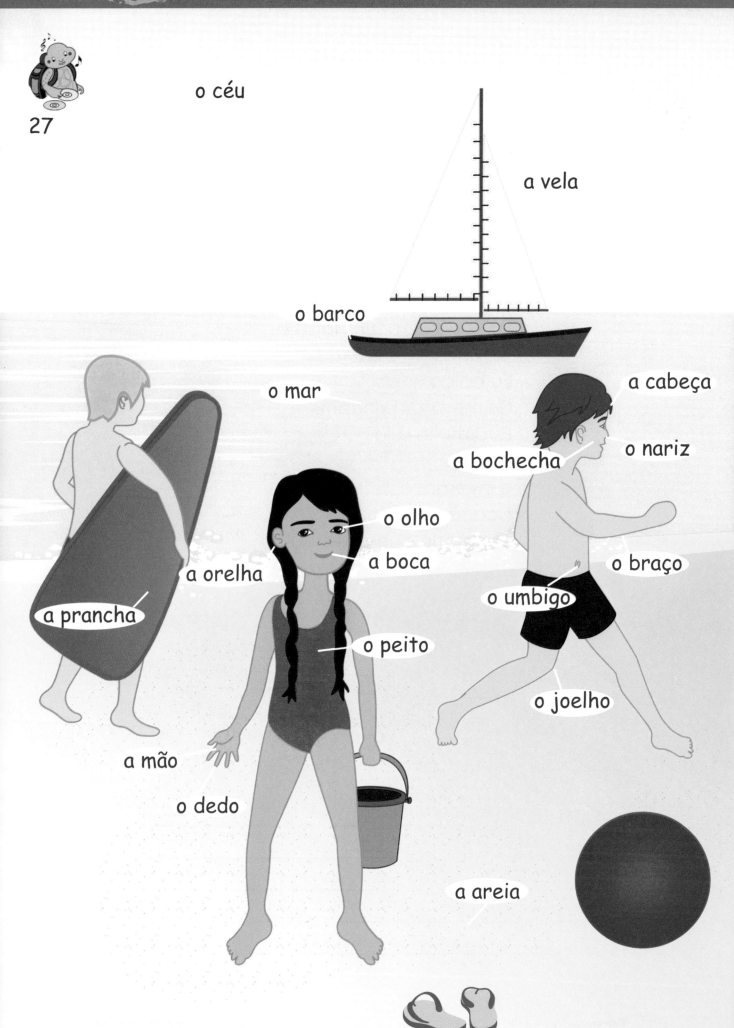

27

o céu

a vela

o barco

o mar

a cabeça

a bochecha

o nariz

o olho

a boca

a orelha

o braço

a prancha

o umbigo

o peito

o joelho

a mão

o dedo

a areia

cabelo curto e loiro

cabelo encaracolado

o guarda-sol

o cabelo

o ombro

o rosto

cabelo comprido e ondulado

a barriga

o balde

a perna

cabelo castanho e liso

o pé

o pescoço

a pá

o cotovelo

28

**A dança do umbigo**

Os meninos estão dançando no pátio da escola.

Eu danço com os meus braços!

Eu pulo com os meus pés!

Quem quer dançar com os dedos?

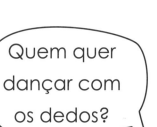

Eu não, mas a Carmen quer!

**2**

Eu danço com os meus
_____.

Eu danço com os meus
_____.

Onde os meninos estão dançando?

Os meninos _____.

**3**

Quem quer dançar com os dedos?

◯ O Ben.

◯ A Li.

◯ A Carmen.

A Nana está dançando...

◯ ... com os dedos no chão.

◯ ... com os braços ao lado da cabeça.

◯ ... com as mãos em cima da cabeça.

A Li pula...

◯ ... com a cabeça.

◯ ... com os pés.

◯ ... com os cotovelos.

A Timi gosta de dançar?

◯ Sim.

◯ Não.

**4**

_____

_____

_____

_____

_____

_____

_____

o nariz
a mão
a cabeça
a orelha
a boca
o cabelo
o pé
os olhos
o pescoço
o peito
o joelho
o umbigo
a perna
o braço

_____

_____

_____

_____

_____

_____

**5**

o ombro

o pescoço

a perna

o rosto

o umbigo

o peito

o joelho

o cotovelo

o braço

a barriga

## Os meus amigos do jardim mágico

O meu amigo é

◯ alto          ◯ gordo

◯ baixo         ◯ magro

Tem cabelo

◯ comprido      ◯ ondulado

◯ curto         ◯ liso

                ◯ encaracolado

O cabelo dele é

◯ loiro

◯ preto

◯ castanho

◯ _____

Os olhos são

◯ azuis

◯ castanhos

◯ verdes

◯ _____

O meu amigo é _____ e _____,

tem cabelo _____, _____ e

_____ e tem olhos _____.

A minha amiga é

◯ alta     ◯ gorda

◯ baixa     ◯ magra

Tem cabelo

◯ comprido     ◯ ondulado

◯ curto     ◯ liso

                  ◯ encaracolado

O cabelo dela é

◯ loiro

◯ preto

◯ castanho

◯ _____

Os olhos são

◯ azuis

◯ castanhos

◯ verdes

◯ _____

A minha amiga é _____ e _____,

tem cabelo _____, _____ e

_____ e tem olhos _____.

**7**

## Quem é quem?

Eu sou alto e magro, tenho cabelos castanhos, curtos e lisos e olhos castanhos. Quem sou eu?

Eu sou alto e gordo, tenho cabelos castanhos, curtos e encaracolados e olhos verdes. Quem sou eu?

Eu sou alta e gorda, tenho cabelos loiros, compridos e ondulados e olhos castanhos.

Quem sou eu?

Eu sou baixo e magro, tenho cabelos pretos, curtos e lisos e olhos azuis.

Quem sou eu?

Eu sou baixa e magra, tenho cabelos loiros, compridos e lisos e olhos azuis.

Quem sou eu?

**Eu sou assim...**

Agora Eu!

**8**

**Eu sou**

- ◯ alto / alta
- ◯ baixo / baixa

**Tenho cabelo**

- ◯ comprido
- ◯ curto

- ◯ ondulado
- ◯ liso
- ◯ encaracolado

**O meu cabelo é**

- ◯ loiro
- ◯ preto
- ◯ castanho
- ◯ _____

**Os meus olhos são**

- ◯ azuis
- ◯ castanhos
- ◯ verdes
- ◯ _____

**9**

**10** Eu sou _____, tenho cabelo _____, _____ e _____ e tenho olhos _____.

⑪   o braço

| o | os |
| a | as |

 ____ nariz

 ____ orelhas

 ____ boca

 ____ pé

 ____ olhos

 ____ mão

⑫

O que é isto?

| bi | um | go |

| na | per |

| be | ca | ça |

| riz | na |

| ri | ga | bar |

| ca | bo |

| be | lo | ca |

| ço | bra |

○ A Nana está brincando.   ○ A Nana está vestindo o pijama.

○ A Nana está dormindo.   ○ A Nana está escovando os dentes.

○ A Nana está na escola.   ○ A Nana está tomando o café da manhã.

⑭

O corpo

a boca

2

3

4

5

6

7

8

9

10

## 29

## VAMOS CANTAR

## A NANA NA PRAIA

A Nana acordou pela manhã,
E abriu os seus lindos olhos azuis,
Esticou os braços e as pernas,
Se levantou, foi escovar os dentes.

A Nana caminhou, pela manhã,
De mochila nas costas e guarda-sol.
Na praia encontrou muitos amigos,
Contentes e felizes brincando.

– Brinco na praia, no mar e na areia,
Com o balde e a pá, a bola e a prancha.
Vejo no mar um barco à vela navegando
E no céu uma gaivota voando.

VAMOS RECORDAR

Os meninos estão dançando.

o pátio

Eu danço.

Eu pulo.

Onde os meninos estão dançando?

alto / alta

baixo / baixa

gordo / gorda

magro / magra

Quem sou eu?

assim

isto

_____

_____

_____

_____

_____

30

a farmácia

o mercado

a livraria

o açougu

a papelaria

a peixaria

o tá:

a sapataria

a loja

a rua

a bicicleta

o semáforo

a banca de jornal

a loja de roupas

à esquerda

à direit

o carro

a calçada

o ônibus

**1**

31

O Nélio vai visitar a família. O Igor vai com ele.

Pegam o avião...    depois o ônibus...   e chegam à cidade do Nélio.

Na casa, os seus avós estão muito felizes.

Nos dias seguintes vão...

ao campo,       ao lago,       e à montanha.

  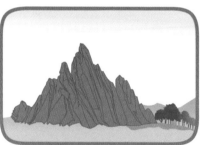

Duas semanas depois têm que voltar.

**2** 

 ◯  ◯  ◯

**3**

Risque o que está errado:

Os seus avós estão muito felizes.

Os seus avós estão muito tristes.

**4**

Como o Nélio e o Igor vão para a cidade do Nélio?

◯ Vão de trem e de ônibus.

◯ Vão de avião e de carro.

◯ Vão de ônibus e a pé.

◯ Vão de avião e de ônibus.

**5**

Os meninos vão visitar o _____, o _____

e a _____.

**6**

> Eu vou à montanha **de avião**.

**de avião**

**de trem**

**de barco**

**de carro**

**a pé**

**a cavalo**

Eu vou à ilha_____.

Ele vai à cidade _____.

Eu vou ao rio _____.

Você vai ao campo _____.

Ela vai viajar _____.

Eu vou ao jardim_____.

**7**

 O Nélio vai visitar a família.

 O Nélio está brincando no jardim.

 O Nélio está bebendo água.

**⑧**

### Lista de Compras

- comprar sapato preto
- comprar um xarope para o Nélio
- comprar um livro de pintar
- comprar bananas, leite, cenouras e biscoitos
- comprar peixe para o jantar

**⑨**

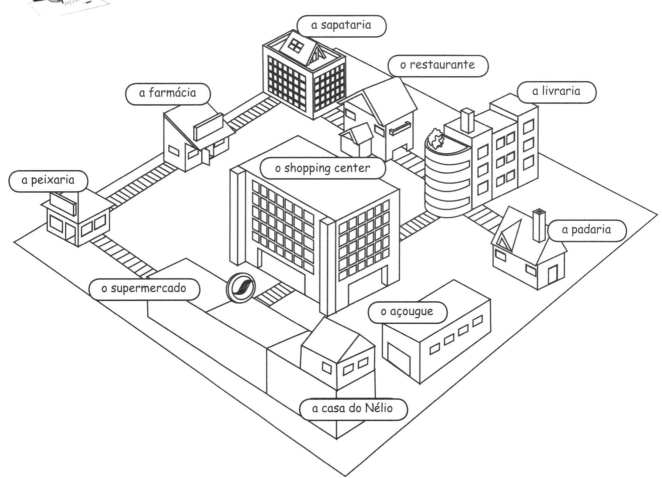

a sapataria

o restaurante

a farmácia

a livraria

o shopping center

a peixaria

a padaria

o supermercado

o açougue

a casa do Nélio

O pai do Nélio vai comprar o livro na _____, o sapato na _____, o xarope na _____, o peixe na _____ e as bananas, o leite, as cenouras e os biscoitos no _____ e volta para casa.

**10**

eu compro
tu compras / você compra
ele compra / ela compra

Eu *compro um sorvete*.

Eu _____ um livro.

Você _____ uma _____.

Ele _____.

Você _____.

Ela _____.

Eu _____.

caderno
violão
caneta
boné
jornal
sorvete
tambor
bola
mochila
iogurte

**11**

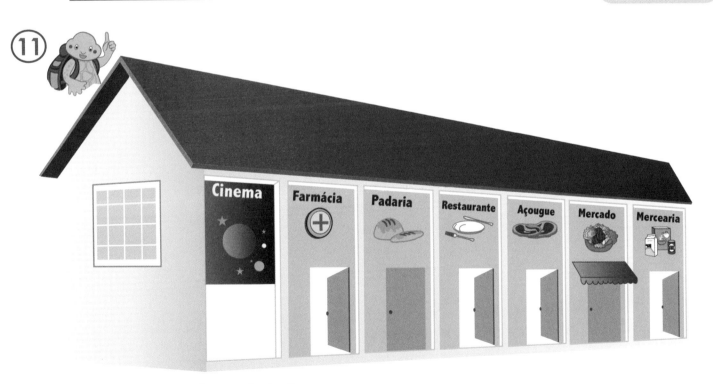

Onde fica a farmácia?

Ao lado do cinema. / Entre o cinema e a padaria.

Está aberto/a. / Está fechado/a.

# Quantos?

Quantos pacotes de leite?
**Três pacotes de leite.**

A Teresa vai ao supermercado e compra...

... quantas bananas?     _____.

... quantos lápis?     _____.

... quantas laranjas?     _____.

... quantos ovos?     _____.

... quantos queijos?     _____.

... quantas alfaces?     _____.

... quantas cenouras?     _____.

... quantos iogurtes?     _____.

... quantas caixas
    de leite?     _____.

**13** Onde se compra?

| | | |
|---|---|---|
| shorts | sandálias | flor |
| bolo | peixe | botas |
| sapatos | jornal | livro |
| casaco | carne | pão |
| blusa | salsicha | tênis |

**14** O que se compra na papelaria?

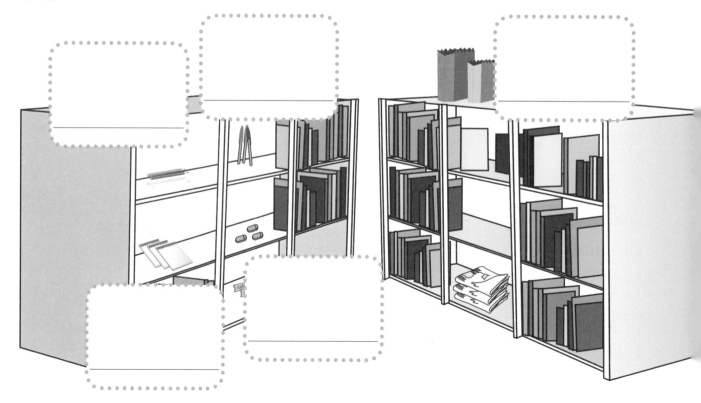

## O que vou comprar?

Agora Eu!

## O Ben vai ao supermercado...

O Ben vai ao supermercado e compra nove iogurtes, cinco bananas, duas borrachas, três laranjas, seis ovos, oito salsichas, quatro meias, dois sorvetes, dez lápis de cor, um carro azul e verde e uma bola com sete cores.

(17)

## a florista

| | |
|---|---|
| ○ sapatos | flores ○ |
| ○ fruta | leite ○ |

## a loja de roupas

| | |
|---|---|
| ○ shorts | salsichas ○ |
| ○ pudim | vestidos ○ |

## a mercearia

| | |
|---|---|
| ○ manteiga | massa ○ |
| ○ batatas fritas | cachecol ○ |

## o açougue

| | |
|---|---|
| ○ bolo | carne ○ |
| ○ peixe | fruta ○ |

## a sapataria

| | |
|---|---|
| ○ botas | bonés ○ |
| ○ iogurtes | sandálias ○ |

## a padaria

| | |
|---|---|
| ○ cadernos | canetas ○ |
| ○ pão | bolos ○ |

## 32

## VAMOS CANTAR

### AS FÉRIAS DO IGOR E DO NÉLIO

O Igor e o Nélio vão passar férias juntos.
Pegam o avião, depois o ônibus
E chegam à cidade dos avós do Nélio.

Os seus avós e os seus primos estão muito felizes.
Estavam todos com muitas saudades do Nélio!

No dia seguinte, vão ao lago e à montanha.
Têm duas semanas para se divertirem.
Depois têm que voltar para casa:
– Ai, que pena!

O país do Nélio é mesmo fantástico!

2x1=2
2x1=2
2x1=2

VAMOS RECORDAR

as férias

visitar

Eles pegam o avião.

Eles chegam.

os primos

felizes

Temos muitas saudades suas.

Nos dias seguintes vão à montanha.

Que pena, temos que voltar...

O seu país é fantástico.

Também acho.

Você está aí escondida.

tristes

a pé

a ilha

o xarope

eu compro / tu compras / você compra /

ele compra / ela compra

Onde fica?

entre

Está aberto/a. / Está fechado/a.

a caixa

Onde se compra?

O que se compra?

_____

_____

_____

_____

_____

a barbatana

o peixe

as escamas

o elefante

o bico

as asas

o gato

o pássaro

o cachorro

pequeno / grande

o rabo

a tromba

o pato

as patas

a galinha

as penas

o coelho

o tigre

o rato

o porco

a carapaça

o focinho

a tartaruga

33

1

34

## A banana da Nana

Os meninos vão de trem visitar uma reserva natural.

Esta viagem de trem é muito engraçada!

Mas eu já estou cansada!

Quando é que chegamos?

Finalmente, chegam à reserva.

Tantas árvores!

Olha ali um macaco, Nana!

E ali estão três cavalos!

Cuidado, Nana!

A minha banana...

Aqui tem outra!

Os meninos vão até ao lago e olham para os animais.

Já é hora de voltar para a escola...

**2**

Como os meninos vão para a reserva natural?

Os meninos _____.

Onde estão os sapos, os pássaros, os peixes, as cobras e as tartarugas?

Eles _____.

**3**

| estão | da Timi | no lago. | As primas |

_____

**4**

O que o macaco faz?

◯ O macaco trepa na árvore.

◯ O macaco pula muito alto.

◯ O macaco come a banana da Nana.

◯ O macaco nada no lago.

**5**

O macaco come a banana da Nana. ◯

Os meninos vão de trem a uma reserva natural. ◯

Os meninos voltam para a escola. ◯

6 — O que é?

É um gato.

_____ .

_____ .

_____ .

_____ .

_____ .

_____ .

_____ .

O que é?

Sim   Não

É um carro?

É verde?

Tem orelhas?

É gordo?

Tem uma blusa?

É cor-de-rosa?

Tem quatro olhos?

É um pão?

Tem boca?

Tem sapatos?

É um urso?

Tem quatro patas?

É alto e magro?

Tem patas pretas?

Tem nariz grande?

Tem olhos azuis?

Tem barbatanas?

Tem olhos verdes?

Você também tem um?

**(8)** Quantos são?

Quatro sapos.

_____ .

_____ .

_____ .

_____ .

_____ .

## O que é?

Tem duas asas, penas, canta e voa.

É o _____.

Tem quatro patas, pelo curto, rabo encaracolado, um focinho comprido e vive no campo.

É o _____.

Não tem patas, é comprida e anda no chão.

É a _____.

Tem duas asas, penas, não voa e põe ovos.

É a _____.

Tem barbatanas, escamas e nada no rio.

É o _____.

Tem quatro patas, uma carapaça, é lenta e vive no mar ou na terra.

É a _____.

Tem quatro patas, pelo, orelhas compridas e é rápido.

É o _____.

Tem quatro patas, dois chifres, dá leite e vive no campo.

É a _____.

Tem quatro patas, pelo, um pescoço comprido, é amarela e marrom e come folhas.

É a _____.

**10** O meu animal preferido

Agora Eu!

**11**

_O meu animal preferido tem_ _____

_____

_____

_____

_____

_____

_____

| |
|---|
| **as patas** |
| **o rabo** |
| **os olhos** |
| **as orelhas** |
| **grande** |
| **pequeno** |
| **comprido** |
| **curto** |

O quê???

⑬ 🎵 35

⑭

O tigre compra carne e pergunta:
– Gosta do meu jantar?
O urso responde:
– Não é ruim, mas eu gosto mais de peixe.

Então, compra mel e fica feliz!

O tigre e o urso vão ao supermercado.

Mas não tem peixe e o urso fica triste.

⑮

**16**

| | trepa | anda | voa | nada |
|---|---|---|---|---|
| O cachorro | | | | |
| O pássaro | | | | |
| O papagaio | | | | |
| O peixe | | | | |
| A tartaruga | | | | |
| O elefante | | | | |
| O macaco | | | | |
| O leão | | | | |
| O pato | | | | |

E você? Eu _____.

**17**

O que é?

É um _____ (suor).

É uma _____ (rabco).

É uma _____ (avca).

É um _____ (ropoc).

É uma _____ (faraig).

É um _____ (roat).

É um _____ (valaco).

É um _____ (butarão).

(18) **O que é?**

4 → livro → lápis → 6 → cobra → janela → flores → 9 → cadeira → girafa
→ flores → 4 → colher → pão → 2 → peixe → botas → 8 → carro →
banana → régua → 8 → avião → 1 → blusa → violão → janela

6

9

4

2

1

8

É um _____ .

 VAMOS CANTAR

## A FESTA DOS ANIMAIS NA FLORESTA

O porco, o peixe, o gato, o pato, o
cachorro e o rato,
O urso, a vaca, o lobo, o tigre e o sapo.

O burro, o tubarão, a girafa e a cobra,
O leão, o papagaio e a tartaruga.

O macaco, o cavalo e o elefante,
A galinha, o coelho e o passarinho.

Tantos animais existem aqui na floresta,
Nadam, voam, pulam, zurram, uivam,
cacarejam.

Cantam, ladram, grasnam, rosnam, tiram
uma soneca,
Com tantos ruídos até parece uma festa!

2x1=2
2x1=2
2x1=2

## VAMOS RECORDAR

eles vão / elas vão

a reserva natural

a viagem

engraçada

já

cansada

finalmente

Olha ali um macaco!

Cuidado!

Aqui tem outra!

os animais

sempre

divertido

Querem voltar aqui outra vez?

O quê?

vive

anda

voa

põe

lenta

rápido

as folhas

o mel

_____

_____

_____

_____

_____

# CD

# Anexos

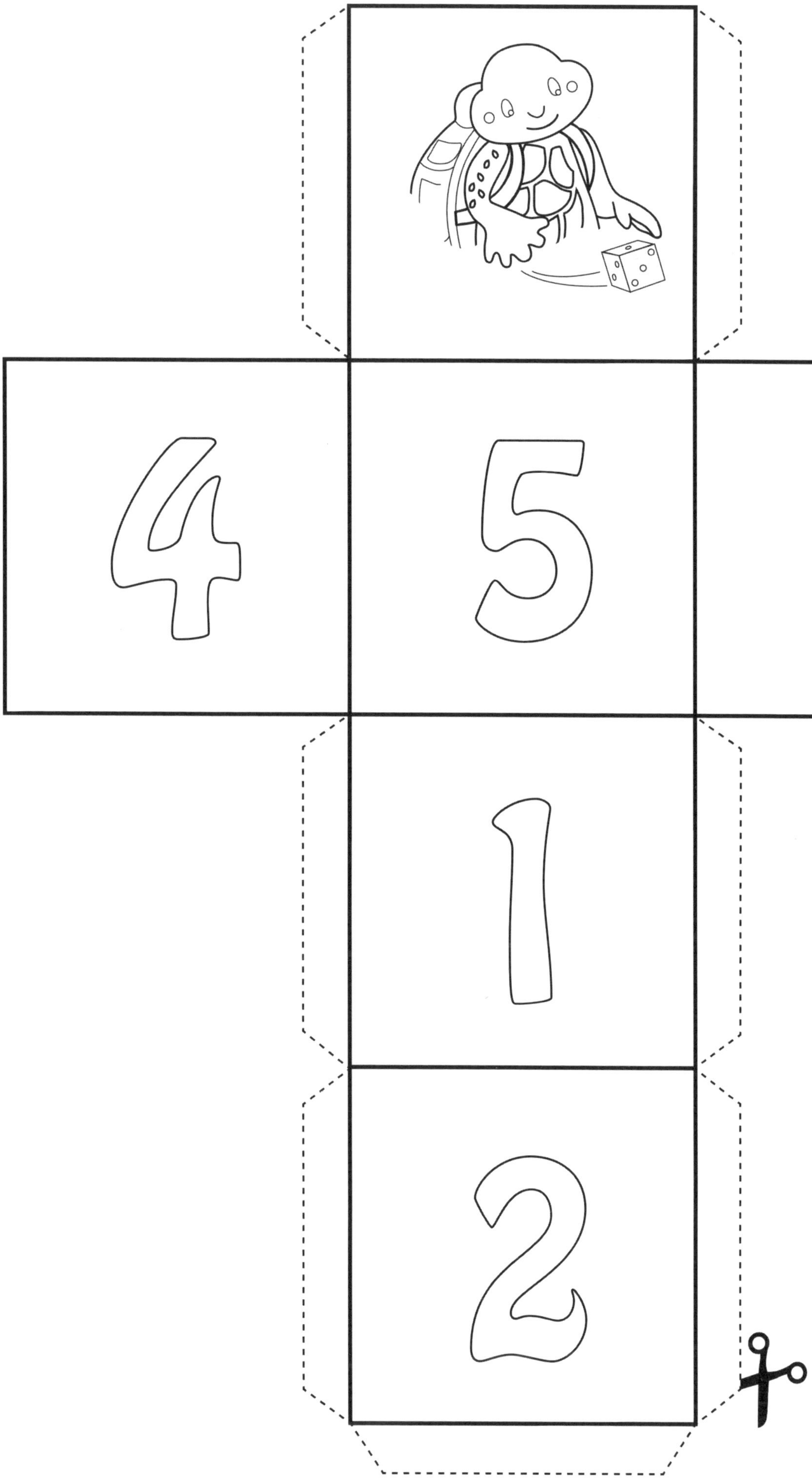
4
5
3
1
2

# BINGO

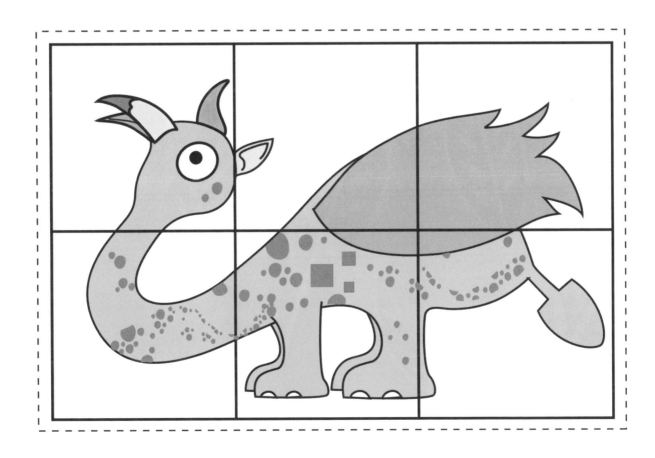